Zezia

i wszystkie problemy świata

Pascal

AGNIESZKA CHYLIŃSKA

ZeZia
i wszystkie problemy świata

Joasi

Redakcja: Agnieszka Hetnał

Korekta: Katarzyna Zioła-Zemczak

Ilustracje i projekt graficzny: Suren Vardanian

Redaktor techniczny: Jarosław Jabłoński

Redaktor prowadząca: Martyna Góra

Bielsko-Biała, 2015

Wydawnictwo Pascal Spółka z o.o.

ul. Zapora 25

43-382 Bielsko-Biała

tel. 338282828, faks 338282829

pascal@pascal.pl, www.pascal.pl

ISBN 978-83-7642-644-0

Spis treści

Pechowe wakacje

A miało być tak wspaniale! Zezia opalała się na jasnym kocu. Przez przymrużone oczy próbowała patrzeć na ogromne słońce i idealnie niebieskie niebo bez jednej chmurki.

Był czas wakacji. Zezia z powodzeniem i bez najmniejszego problemu zdała do piątej klasy i teraz z uśmiechem cieszyła się pięknym latem na wsi. Jadła duuuże bordowe czereśnie i nawet bzyczące wokół pszczoły nie straszyły jej jakoś bardzo.

Zezia miała przy sobie ulubioną książkę pod tytułem „Niebezpieczne wypadki". Był to poradnik dla dzieci i młodzieży z informacjami, jak się zachować, gdy na przykład się skaleczymy, albo co zrobić, by nie użądliła nas osa. I tam właśnie przeczytała, żeby na świeżym

powietrzu raczej nie pić słodkich soków ani nie jeść słodkich owoców. Jeśli jednak nie możemy wytrzymać i osa lub pszczoła krążą niebezpiecznie blisko nas, trzeba zachować spokój i nie machać nerwowo rękami. Lepiej delikatnie zebrać słodkie przysmaki, umyć buzię i ręce i czekać, aż bzyczący owad sam sobie odleci. Zezia wiedziała więc, jak się zachować.

Wiedziała też na pewno, że chce zostać lekarką. Uważała od jakiegoś czasu, że znakomicie nadaje się do tego zawodu. Dlatego właśnie z okazji urodzin dostała od swoich Rodziców tę przepiękną książkę o niebezpiecznych wypadkach i o tym, jak ratować ludzi, którzy potrzebują pomocy.

Zezia była więc od razu gotowa do pomocy, kiedy najpierw zadzwonił telefon, a po chwili Mama wybiegła zapłakana. Powiedziała, że wszyscy mają się natychmiast pakować i wracać do domu. Zezia nie wiedziała tylko jeszcze, komu pomóc ani dlaczego tak piękne wakacje u Wuja Rolnika mają się skończyć już w lipcu.

Okazało się, że chodziło o Dziadka Zezi. O jedynego Dziadka Zezi, Tatę Mamy Zezi. Był bardzo poważnie chory. Kiedy Mama się trochę uspokoiła i pozwoliła dojść do głosu Tacie, oboje zdecydowali, że Zezia i Franek wrócą razem z nimi do Malinówki, a Giler zostanie u Wuja. Rodzice szybko spakowali torby, pożegnali się z Wujostwem i pomknęli jak najszybciej.

Podróż do domu minęła w całkowitym milczeniu. Zezia czuła całą sobą, że dzieje coś bardzo nieprzyjemnego i smutnego. Mama mil-

czała, ukradkiem ocierając łzy, a Tata zbyt ostro brał zakręty. Co jakiś czas po całym samochodzie przetaczały się różne przedmioty, łącznie z ulubionymi zabawkami Franka-Oczaka, który jako jedyny zachowywał pogodny spokój.

Najmłodsze dziecko Państwa Zezików miało dwa lata i siedem miesięcy. Franek chował się bardzo zdrowo, mówił bardzo dużo i bardzo się wszystkim ekscytował.

Ostatnio ogromnym zainteresowaniem Franka cieszył się kret. Zwierzątko zadomowiło się na podwórku rodziny Zezików i nie dawało się stamtąd wykurzyć. Franek wraz z Zezią i Gilerem codziennie zaglądali do specjalnej pułapki, którą Pan Zezik osobiście przygotował na nieproszonego gościa. Niestety, kret ani myślał się w nią złapać. Podwórko z każdym dniem wyglądało gorzej, zryte i wybrzuszone kilkunastoma sporymi kopczykami. Franek zawzięcie kibicował kretowi, a jednocześnie bardzo chciał go zobaczyć. Mama w końcu zlitowała się nad młodszym synkiem. Gdy pełen nadziei Franek któregoś dnia znowu podbiegł do pułapki, znalazł w niej... pluszowego kreta, którego Mama kupiła w sklepie z zabawkami. Franek był ogromnie szczęśliwy.

Odtąd pluszowy kret stał się jego najukochańszą zabawką. Oczak się z nim po prostu nie rozstawał. Teraz, gdy zdenerwowani Rodzice jechali do Malinówki, nieświadomy smutnej wiadomości o chorobie Dziadka Franek radośnie machał swoim pluszowym kretem. Próbował w ten sposób zarazić wesołym nastro-

jem resztę rodziny. Zezia tymczasem patrzyła przez okno po lewej stronie. Siedziała tuż za Tatą, który prowadził auto.

Już od wiosny źle się czuła z tym, że najbliżsi koledzy i koleżanki z klasy mówią do niej „Zezia". Zezia nie chciała już dłużej być Zezią. Chciała być Zuzanną! Czuła, że jest już prawie dorosła i ani „Zezia", ani okulary zupełnie już do niej nie pasują. Mama obiecała jej więc, że wraz z nowym rokiem szkolnym Zezia, to znaczy Zuzia, pójdzie z Mamą do okulisty. On zdecyduje, czy Zuzia jest gotowa na szkła kontaktowe. Zuzia myślała o tym wszystkim w drodze do domu. Martwiła się o Dziadka, ale zastanawiała się jednocześnie, co dalej z wakacjami. Gdy wieczorem samochód Państwa Zezików zaparkował przed domem w Malinówce, Franek spał głębooooookim snem. Został delikatnie wyjęty przez Tatę z fotelika i zaniesiony do swojego pokoju. Zuzia pomogła Mamie w noszeniu toreb i walizek. Po kolacji, którą Zuzia zjadła tylko z Tatą, bo Mama rozmawiała cicho przez telefon z Babcią Ciemnowłosą, każdy poszedł do siebie.

Zezia, to znaczy Zuzia, zawsze gdy było jej smutno, myślała o tym, że wraz z kolejnym dniem i kolejnym wschodem słońca NA PEWNO przydarzy się coś lepszego. NA PEWNO wszystkie problemy się skończą. Rano tuż po przebudzeniu Zuzia poczuła na sobie ciepły ciężar zwiniętej w kulkę kotki Idźstąd, która spała na Zuzinej pościeli, spokojnie oddychając. Dziewczynka poczuła, że bardzo chce pomóc Rodzicom. Wyskoczyła z łóżka, zasiadła do swojego biurka, chwyciła kolorowe flamastry i czysty arkusz bloku technicznego. „Rozkład dnia" – napisała czerwonym flamastrem.

Zuzia pomyślała, że zajmie się Oczakiem, będzie pamiętać o zmywaniu naczyń, sprzątaniu swojego pokoju i o wielu innych obowiązkach. Do pokoju wszedł jednak Tata i oznajmił, że Mama wyjeżdża wraz z Oczakiem do Dziadka i Babci Ciemnowłosej. Dziewczynka wyraźnie posmutniała. Po Mamę mia-

ła przyjechać Babcia Ciemnowłosa, która ufar-
bowała sobie ostatnio włosy na rudo. Może też
więc nadszedł czas, by nazywać ją Babcią
Rudowłosą.

Zuzia miała zostać z Tatą i czekać na dalszy
rozwój wypadków.

Samotne lato

Sierpień przyniósł ogromne upały. Zezia, to znaczy Zuzia, bardzo chciała spotkać się z kimś ze swoich koleżanek i kolegów. To umiliłoby czas do końca wakacji, który zupełnie nieoczekiwanie przyszło jej spędzić w Malinówce. Niestety, Andżelika Owsianka – ulubiona koleżanka z klasy Zuzi – była na koloniach. Agata Kubiak, która mieszkała w małym domku obok domu Zuzi, też wyjechała do swojej Babci i miała wrócić w ostatnich dniach sierpnia. Nawet Mariola, córka Państwa Zbuków, spędzała wakacje gdzieś z dala od domu i wiecznie niezadowolonego Pana Zbuka. Na początku Zuzia dość mocno się nudziła. Samotne spacery po okolicy i zabawy na podwórku były dobre przez pierwsze dni. Potem już nie cieszyło jej nic.

– Radość to dzielenie się z innymi – powiedział Tata, gdy Zuzia siedziała zrezygnowana na tarasie. Po raz szesnasty obwiązywała bandażem głowę misia. Skwar był wyjątkowo dotkliwy. Tata zdecydował, że pora na nadmuchanie basenu ogrodowego. Gdy basen napełnił się wodą, Zuzia wskoczyła do niego bez większego entuzjazmu. Tata założył słomkowy kapelusz i usiadł nieopodal na ogrodowym fotelu.

Jak cudownie by było zaprosić teraz do zabawy Agatę lub sąsiada Zuzi, Krystiana! Krystian jednak spędzał wakacje za granicą u swojej Mamy, która bardzo dużo pracowała i bardzo dużo podróżowała. Zarabiała w ten sposób pieniądze dla swojego syna, ale rzadko go odwiedzała.

„Do szczęścia jest potrzebny przyjaciel" – pomyślała Zuzia, patrząc na duży basen. Tata Zuzi, który świetnie znał wszystkie swoje dzieci, wyczuł smutek jedynej córki.

– Powiedz mi proszę, czy lubisz Dziadka – zagadnął Zuzię. Dziewczynka zastanowiła się chwilkę. Dziadek był szeroko uśmiechniętym Starszym Panem. Gdy już spotykał się z wnuczką, poświęcał jej cały swój czas. Problem w tym, że Dziadka najczęściej nie było w rodzinnym domu Pani Zezik. Zuzia bardzo go lubiła, ale trudno powiedzieć, żeby go znała. Dziadek po prostu nie dawał się dobrze poznać. Gdy miał dobry humor, wyciągał z kieszeni spodni harmonijkę ustną i grał na niej piękne, skoczne melodie. Babcia uśmiechała się wtedy prawie niezauważalnie i robiło się nadzwyczaj przyjemnie i radośnie.

Dziadek najbardziej lubił towarzystwo Gilera. Nazywał go „ślujkiem" i chodził z nim na długie spacery.

O czym rozmawiali? Tego nie wiedział nikt. Giler przecież nie mówił zbyt wyraźnie. Pewne jednak było, że uwielbia towarzystwo Dziadka i bardzo, baaaaardzo lubi z nim przebywać. Dziadek nosił beret w kolorze kawy z mlekiem i parasol, którego końcówkę ostrzył ostrzałką do noży. Panicznie bał się bandytów

i przechwalał się, że tym właśnie parasolem niczym szablą pokona każdego łobuza.

Kiedyś Babcia wyjątkowo długo, a we-
dług niej zdecydowanie zbyt długo czekała

na Dziadka i postanowiła zrobić mu psikusa. W ciemnym korytarzu kamienicy, w której mieszkali, ustawiła miotłę, a na nią nałożyła wielkie białe prześcieradło. W nieoświetlonym zaułku tuż przy kręconych skrzypiących schodach całość wyglądała dość upiornie. Dziadek, który przecież miał walczyć swoim parasolem z całą zgrają złoczyńców, na widok białej zjawy uciekł z krzykiem w wielkiej panice.

Dziadek uwielbiał rozmowy o polityce z Tatą Zuzi. Panowie mogli całymi godzinami opowiadać o historii, geografii i dziejach świata w ogóle. Ale Dziadka tak naprawdę nikt dobrze nie znał. Poza Babcią, która oczywiście znała go najdłużej. No i Mamą Zuzi, która była zawsze bardzo szczęśliwa, gdy zastawała Dziadka w domu, i bardzo, bardzo nieszczęśliwa, gdy Dziadka jednak nie było w starej kamienicy.

– Lubię Dziadka, Tatusiu – odparła po dłuższej chwili Zuzia. – Ale nie znam go zbyt dobrze – dodała.

– To tak jak my wszyscy – rzekł Tata Zuzi. Nie było wiadomo, czy mówił do niej, czy do siebie, bo głos miał cichy i smutny.

Zuzia mocno kochała swojego Tatę i wiedziała, że ZAWSZE, ZAAAAWSZE będzie przy niej. Dziewczynka nigdy nie chciała dostawać od Rodziców żadnych przedmiotów. Wiedziała jednak doskonale, że Rodzice uwielbiają dawać prezenty i są bardzo szczęśliwi, gdy dzieci cieszą się z tych upominków. Patrząc teraz na strapionego Tatę, Zuzia spróbowała go rozchmurzyć.

– Wiesz, Tato, w sklepie z upominkami były takie śliczne turkusowe okulary przeciwsłoneczne, myślisz, że moglibyśmy je razem obejrzeć?

Tata spojrzał na córkę z uśmiechem:

– Jeśli tylko sprawi ci to przyjemność, Zuzanno...

Zuzia prosiła ostatnio Rodziców, by zwracali się do niej właśnie w ten sposób. Było jej bardzo, baaaardzo miło, gdy oboje o tym

pamiętali. Czuła wtedy, że Rodzice akceptują fakt, że Zuzanna Zezik daaaawno skończyła jedenaście lat i jest już prawie dorosła.

Do centrum Malinówki Tata i Zuzia pojechali na rowerach. Okulary były przepiękne i Tata chętnie kupił je swojej córce. Potem jeszcze podjechali do budki z włoskimi lodami. Tata kupił Zuzi śmietankowe, a sobie czekoladowe. Cudownie było usiąść na ławce w upalne sierpniowe popołudnie i zajadać się fantastycznymi lodami, które w rekordowym tempie roztapiały się w eleganckim wafelku. Wafelek na początku był chrupiący, a potem coraz bardziej nasiąkał rozpuszczającymi się lodami. Smakował wtedy jeszcze lepiej. Zuzia wraz z Tatą w milczeniu wrócili do domu.

Wieczorem zadzwonił telefon. Tata rozmawiał z kimś cicho i dość krótko. Zuzia wyszła właśnie z łazienki po wieczornej kąpieli, gdy Tata powiedział jej, że Dziadek nie żyje.

Powrót do codzienności

Na pogrzeb Dziadka Zuzia nie pojechała. Siedziała w domu z bolącym gardłem i lekką gorączką. Jednak zimne lody włoskie plus rozgrzane gardło nie były najlepszym połączeniem. Mama poprosiła, żeby zabrać Oczaka do domu. Chciała pomóc Babci Ciemnowłosej w przygotowaniach do pogrzebu. Zuzia nigdy nie była na pogrzebie. Wiedziała tylko, że jest to zawsze bardzo smutne wydarzenie. Ludzie są ubrani na czarno i płaczą, a człowiek, który zmarł, leży w trumnie, a czasem jego prochy są w urnie. Głęboko w środku Zuzia cieszyła się, że nie musi brać w tym wszystkim udziału. Nie płakała w ogóle. Było jej tylko przykro, że Mamie jest smutno i źle. Wiedziała, że nie może jej pomóc w żaden sposób. To też było dla niej bardzo, baaaardzo trudne. Zuzia uwielbiała komuś się przydawać.

Rodzice zdecydowali, że na pogrzebie będzie tylko Mama, a Tata zajmie się dziećmi w Malinówce. Tata więc najpierw pojechał po Oczaka do Mamy, a potem po Gilera do Wuja Rolnika.

Giler coś przeczuwał. Ostatnio bywał raczej Czarkiem niż Gilerem. Pięknie sam wycierał nos i bardzo często mył ręce. Jak na ośmiolatka, który był INNY niż wszystkie znane Zuzi dzieci,

zachowywał się bardzo spokojnie. Przestał skakać i coraz lepiej przesypiał noce. Wolno mu było jeść coraz więcej nowych produktów, na co cieszyły się obydwie Babcie. Jego nowym hobby stało się jednak potajemne podkradanie dobrze, ale jednak nie do końca dobrze ukrytych nożyczek i obcinanie tiulowych falbanek w sukienkach Zuzi.

Taki pięknie obcięty fragment materiału Giler moczył w wodzie. Chodził z nim potem wszędzie, szeleszcząc i pocierając dłońmi wilgotny tiul. Nie przerażały go krzyki całej rodziny: „Znowu zniszczyłeś sukienkę Zuuuuuziiiiiii!!!".

Wytłumaczenie Gilerowi, że Dziadek nie żyje, było niemożliwe. Zabranie Gilera na pogrzeb też nie wchodziło w grę. Giler wydawał się ostatnio niezwykle pogodny i zadowolony z życia. Było to wielką ulgą dla Mamy i Taty po latach starań, by ich starszy syn w jakikolwiek sposób okazał im, że jest szczęśliwy. Istniało duże ryzyko, że Giler zacząłby się śmiać w trakcie ceremonii pogrzebowej. Albo głośno w kółko pytałby Babcię Ciemnowłosą, obecnie Rudowłosą:

– Gdzie jest Dziadek?

Dlatego Rodzice zdecydowali, że Gilera, czyli Czarka również nie będzie na pogrzebie Dziadka. To smutne, ale bardzo ważne wydarzenie na zawsze ominęło jedyne wnuki Pana Waleriana Wesołka, bo tak nazywał się Dziadek Zezi, Gilera i Oczaka.

Mama wróciła do Malinówki w ostatnim tygodniu sierpnia. Była smutna i zmęczona. Stęskniony Oczak tulił się do niej od momentu, gdy weszła do domu, aż po ostatnie chwile przed zaśnięciem. Zuzia uważnie przyjrzała się Mamie. Tata próbował ją przytulić, ale Mama wyglądała jak baletnica z porcelany, którą Zuzia widziała na stoliku nocnym u Babci Ciemnowłosej. Pani Zezik mocno zeszczuplała, jej ładna buzia była blada, a oczy patrzyły smutno. Zuzia poczuła się nieswojo. Popłakała się nawet ze strachu, że Mama już zawsze będzie taka porcelanowa i niedostępna. Pani Zezik przytuliła swoją córkę.

– Potrzebuję trochę czasu – szepnęła drżącym głosem.

– Oczywiście, Mamo, my tu na ciebie spokojnie poczekamy – odparła Zuzia, całując swoją Mamę w obydwa policzki. Kolejne dni wcale jednak nie zapowiadały zmiany na lepsze. Na szczęście trzeba było przygotowywać się do nadchodzącego nowego roku szkolnego, więc obowiązki odciągnęły domowników od smutnej Mamy. Każdy, no może z wyjątkiem Gilera i Oczaka, miał co robić. Zuzia układała nowe zeszyty w szafkach, kompletowała kredki w piórniku i szykowała szuflady, uważnie przeglądając ich zawartość. Tata szukał odpowiednich plecaków dla starszych dzieci. Oboje z Mamą uważali, że młode kręgosłupy są zdecydowanie nadwyrężane zbyt ciężkimi książkami i przyborami szkolnymi. Oczak tymczasem siedział grzecznie na dywanie w salonie i bawił się porozrzucaną kolorową bibułą.

Zuzia nie mogła się doczekać spotkania ze swoją klasą, bo bardzo zmęczyły ją ostatnie tygodnie nieudanych wakacji. Z drugiej strony była zadowolona, że mogła spędzić duuuużo czasu ze swoim ukochanym Tatą, z którym w milczeniu malowała obrazki. Tata zachwycał się każdą jej pracą. Gdy nazbierało się ich trochę, jechał do miejscowego szklarza Pana Henia, a ten oprawiał Zuzine obrazki w piękne kolorowe ramy. Tata z wielką dumą wieszał oprawione malowidła Zuzi.

Gdy ktoś odwiedzał dom Państwa Zezików, Tata od razu wskazywał na ściany, mówiąc ze wzruszeniem:

– A to malowała nasza córka...

Zuzia czuła całą sobą, że Tata bardzo ją kocha. Choć niewiele razy jej o tym wspominał, po prostu CZUŁA tę miłość i tyle. I to było piękne.

Tymczasem nadszedł dzień wizyty u okulisty. Zuzi zależało, żeby pojawić się w szkole już bez okularów, jako Zuzanna Zezik. Poprosiła też Mamę o wizytę u Pani Fryzjerki. Chciała mieć pięknie przystrzyżone włosy i wspaniale się zaprezentować na apelu. Oczywiście, wszystko się udało. Okulary Zuzi Tata schował głęboko w szufladzie. W ślicznej fryzurze, którą Pani Dorota-Fryzjerka nazwała „na pazia", Zuzanna wyglądała – jakby to określiła jej najlepsza koleżanka Andżelika Owsianka – „bombowo".

Wszystko było już gotowe. Nowy piękny zielony plecak czekał tuż przy drzwiach w przedpokoju. Galowy strój składający się

z pięknej białej bluzki i granatowej spódnicy wisiał wyprasowany na wieszaku.

Zuzia leżała wieczorem w łóżku i czuła przyjemne łaskotanie w brzuchu. Była tak podekscytowana! W jej sercu pojawiło się jeszcze jedno całkiem nowe uczucie. Zuzanna była gotowa na nową miłość i czuła bardzo, baaaaardzo wyraźnie, że coś z pewnością wydarzy się w tej sprawie...

Pechowy początek roku szkolnego

Pierwszowrześniowy poranek był słoneczny, choć dało się już odczuć, że jesień za chwilę rozgości się w uroczej Malinówce. A to trochę pożółkłych liści zawirowało w powietrzu, a to mocniejszy wietrzyk tarmosił rudą jarzębinę na zgrabnych drzewach.

Zuzanna po wspólnym śniadaniu szybko pobiegła do swojego pokoju przebrać się w galowy strój. Potem ruszyła do łazienki, żeby ocenić, jak wygląda. Otóż wyglądała przepięknie. Wszystko pasowało do siebie po prostu idealnie.

Cudowne czarne lakierowane pantofle czekały na nią w przedpokoju. Zuzia jeszcze nigdzie nie chodziła w tych eleganckich butach.

Mama kupiła je przed wakacjami. Zuzia skrzętnie schowała je do szafki z butami, by właśnie teraz uroczyście włożyć je pierwszy raz. To znaczy – drugi raz, bo pierwszy raz przymierzała je w sklepie obuwniczym. Bardzo wijąca się, przypominająca kolorową gąsienicę pani sprzedawczyni zapewniała Mamę, że to „fantastyczne pantofle damskie dla młodej damy, która ma klasę i styl". Zuzia już wtedy wiedziała, że to są właśnie TE buty i nikt nie nakłoni jej do zmiany decyzji. Pantofle damskie dla młodej damy musiały należeć do Zuzi. Teraz przy całej rodzinie włożyła nowe buty.

Z lekkim niepokojem poczuła, że pantofle są chyba ciut za małe. Nie robiła jednak z tego większej tragedii. Liczył się efekt i te wszystkie spojrzenia kolegów i koleżanek z klasy, które skupią się na niej, kiedy wejdzie do sali. Mama spytała Zuzię, czy wszystko w porządku. Dziewczynka szybko przytaknęła, ale czuła, że nie będzie łatwo.

Tata i Mama wybierali się na rozpoczęcie roku szkolnego do Gilera i, co ważne, Oczak miał dzisiaj przeżyć swój pierwszy dzień w przedszkolu, więc zestresowana tym Mama powiedziała w pośpiechu:

– Zuzanno, idziesz sama do szkoły. Mam do ciebie pełne zaufanie. Jesteś już prawie dorosła.

Zuzia w pierwszym momencie poczuła się bardzo, baaaardzo dobrze i dorośle. Poruszając palcami w nowych butach, poczuła jednak, że będzie to zadanie dla prawdziwego bohatera. Rodzice rozstali się z Zuzią tuż przy szkole Gilera. Dalej miała już iść sama.

Szkołę Gilera od szkoły Zuzi dzielił tylko piętnastominutowy spacer pięknymi uliczkami. Marsz w za ciasnych butach był jednak coraz większą męką.

Buty mocno obcierały. Gdy Zuzia w końcu doczłapała do szkolnej bramy, czuła się bardzo, baaardzo źle. Przez jasne rajstopy przebijały się już kropelki krwi. Wiedziała, że jeśli nie poprosi o pomoc, to będzie naprawdę niedobrze.

Woźna, Pani Ogórkowa, szybko zoriento-
wała się, że coś jest nie tak.

– Zuziu, jesteś taka blada, czy źle się czu-
jesz?

Zuzia już nie miała siły niczego ukrywać.
Usiadła ze łzami w oczach w szatni i pokazała
stopy Pani Ogórkowej.

– Ojej... – jęknęła Pani Ogórkowa.
Delikatnie zdjęła lakierowane buty Zuzi.
Widok był okropny. Zdarte rajstopy i zakrwa-
wione stopy tuż nad piętami, z tyłu.

– Proszę Pani, czy mogę się gdzieś schować? – chlipnęła kompletnie załamana Zuzia.

– No pewnie, chodź do mnie! – zawołała
Pani Ogórkowa. Bez pytania wzięła zapłaka-
ną Zuzię na ręce i przeniosła ją z dyndającymi
opuchniętymi stopami do małego pokoiku tuż
przy szatniach.

Dzieci tłumnie zaczęły wchodzić do szkoły.
Zuzia nie chciała, żeby ktokolwiek z klasy widział
ją w tym stanie. Pani Ogórkowa zakrzątnęła się
po swoim pokoiku. Raz, dwa zdezynfekowała

rany na nogach Zuzi, nakleiła delikatnie po solidnym plastrze na obydwa obtarcia, a potem powiedziała:

– Kupiłam mojej wnuczce na urodziny piękne buty. Mam je gdzieś tutaj. Ona jest w twoim wieku, może będą pasowały.

Zuzia wiedziała, że nie ma innego wyjścia. Na myśl o wciśnięciu opuchniętych stóp w czarne lakierki robiło jej się słabo. Gdy zobaczyła buty, które z szafki wyjęła Pani Ogórkowa, po prostu ją zatkało... Były to drewniane chodaki. Czerwone. Z wieeeeelkim filcowym muchomorem na każdym bucie.

Zuzia nie kryła rozpaczy.

– Wiem, że nie pasują, ale chyba nie mamy innego wyjścia. Musisz już iść. Zaraz się zacznie apel. Oddasz mi je jutro, dobrze? Mam tu gdzieś białe koronkowe skarpetki. Będzie ładnie... – dodała Pani Ogórkowa, nie zwracając uwagi na przerażoną minę Zuzi.

Rozmiar drewniaków był idealny. Ich stukot niósł się po szkolnym parkiecie chyba aż po sąsiednie województwo...

Zuzia dotarła do sali gimnastycznej. Na szczęście ogromny tłum dzieci i hałas zakłócił odgłos stukoczących drewniaków. Andżelika Owsianka od razu zauważyła zbolałą minę Zuzi. Dziewczynki serdecznie się przywitały. Zuzia nie zdążyła opowiedzieć Andżelice o swojej przygodzie z „przepięknymi pantoflami damskimi", bo trzeba było już być cicho. Cała szkoła usłyszała wszystkim znany głos Dyrektora, Pana Jędrzeja Bażanta.

Był to bardzo przystojny pan, na którego widok wzdychały wszystkie Panie Nauczycielki. Miał donośny głos, chodził pewnym, sprężystym krokiem i był strażakiem w ochotniczej straży pożarnej. Dzieci lubiły go i szanowały. Choć Pan Jędrzej jawił się jako stanowczy i surowy nauczyciel, to zgodnie uważano, że dbał o szkołę i był sprawiedliwy.

Pan Dyrektor donośnym głosem opowiadał o wspaniałej roli przyszłych wykształconych absolwentów szkoły. Zuzia tymczasem mogła dyskretnie rozejrzeć się wokół siebie. Najpierw przyjrzała się dokładnie Andżelice, która miała włosy związane w długi warkocz. Wydawała się

zdecydowanie wyższa i szczuplejsza niż przed wakacjami. Potem Zezia przebiegła szybko wzrokiem po pozostałych osobach z klasy. Szybko zauważyła dwie nowe twarze. Jakaś dziewczyna i jakiś chłopak. Dziewczyna miała ciemne długie włosy i trochę zadarty nos, a chłopak... Chłopak był idealny... Zuzi zabrakło tchu.

Był najwyższy ze wszystkich chłopaków z klasy, miał ciemne włosy i ciemne oczy. Przeszywająco spojrzał nimi przez sekundę właśnie na Zuzię i uśmiechnął się. To było to!!! Dziewczynce zrobiło się gorąco. Potem w panice pomyślała, że za moment wszyscy rozejdą się do klas, a ona, właśnie ona będzie stukać tymi koszmarnymi drewniakami! Ten chłopak, właśnie TEEEEN CHŁOPAK, pozna ją od razu od tak strasznej strony.

Wychowawczyni (a została nią w czwartej klasie Pani Ewelina Głaszcz-Pazur) bardzo szybko przedstawiła wszystkim nowych uczniów. Dziewczyna z zadartym nosem nazywała się Basia Pająk, a chłopak Piotr Słodzik. Zuzia, która zwijała się ze wstydu w drewniakach od Pani Ogórkowej, zerkała cały czas na nowego kolegę. Piotr i Basia uczyli się wcześniej w szkole sportowej. Zuzia od razu pomyślała, że chłopcy z klasy szybko polubią Piotra po takiej informacji. Basia wyglądała na wystraszoną. Zuzia czuła jednak całym sercem, że i ona szybko odnajdzie się wśród koleżanek z klasy.

Kiedy Pani Ewelina pożegnała się ze swoją klasą, zapraszając na jutrzejsze lekcje, Zuzia pokuśtykała do szatni. Andżelika była bardzo podekscytowana:

– Widziałaś tę nową? Ta to dopiero będzie zadzierać nosa! A ten chłopak nawet fajny, nie?

Obydwie dziewczynki usiadły jeszcze na chwilę na ławce w szatni. Miały sobie przecież tyle do powiedzenia.

– Ojej, kto zmarł? – spytała zatrwożona Andżelika na widok czarnej tasiemki przyszytej do kołnierzyka kurtki Zuzi.

– Mój Dziadek – odpowiedziała Zuzanna.

– A w ogóle, to gdzie ty masz okulary? – dopytywała się dalej przyjaciółka.

W tym momencie do dziewczynek podeszła Pani Ogórkowa.

– Zuziu, pamiętaj proszę, żeby jutro oddać mi buty, dobrze? Wnuczka przyjeżdża w sobo-

tę – mrugnęła porozumiewawczo Pani Woźna
i wróciła do siebie.

– Jakich butów? – zapytała znowu Andżelika. – Tych? Ojej, są po prostu koszmarne...

– Ciiiiii... – zastopowała ją Zuzia. – Tak, ale
dzięki nim nie obtarłam sobie stóp do kości.
Zobacz... – dodała szeptem Zezia, pokazując
Andżelice pięty obklejone plastrami i siatkę
z właściwymi butami.

Do domu Zuzia dotarła mocno przybita.
Mama przytuliła córkę, a po chwili Tata opa-
trzył jej poranione pięty. Tego samego dnia
lakierowane trzewiki Zuzi zostały wymienio-
ne na większy rozmiar, ale dziewczynka na ra-
zie nie bardzo mogła w nich chodzić ze wzglę-
du na opuchliznę.

Wieczorem, kiedy Zuzia pakowała nowy
plecak szkolny na jutrzejsze zajęcia, cały czas
myślała o Piotrze Słodziku. To była Miłość
Od Pierwszego Wejrzenia. Zuzia, która świetnie znała się na miłości, przeczuwała, że to nie
będzie historia ze szczęśliwym zakończeniem.

Postanowiła jednak, że zrobi w tej sprawie wszystko, co się da. Podda się dopiero wtedy, gdy na pewno będzie wiedziała, że próbowała wszystkiego. Po tym mocnym postanowieniu dziewczynka trochę się rozpogodziła i zmęczona szybko zasnęła.

Zuzia i sport

Chodzenie do szkoły nigdy nie przysparzało Zuzi większego kłopotu. Lubiła swoją klasę, wychowawczynię i czas spędzany na lekcjach. Była jedną z najlepszych uczennic w klasie. Basia Pająk mocno Zuzię zaintrygowała. Jednocześnie z każdym kolejnym dniem Zuzia czuła, że jej przyjaciółka Andżelika bardzo się zmieniła. Plotkowała z dziewczynkami, słuchała innej muzyki i zaczęła ubierać się w zupełnie odmiennym stylu niż Zuzia.

Coraz częściej na przerwach Zuzia była sama. Andżelika po prostu, tak czuła Zuzia, polubiła się bardziej z Alą Sową, która nie uczyła się zbyt dobrze, ale była miła i sympatyczna. Zuzanna też ją bardzo lubiła. Ala Sowa uwielbiała tańczyć, nie wstydziła się szkolnych

zabaw ani klasowych występów. Tańczyła, śpiewała i nosiła piękne spódnice oraz dżinsy. Jej mama pracowała za granicą i przywoziła córce oryginalne ubrania, czyli takie, które były naprawdę wyjątkowe. Ala i Andżelika mieszkały bliżej siebie, podczas gdy dom Zuzi stał na końcu miasteczka. Dziewczynki szły więc razem do szkoły i razem z niej wracały. Mama Ali też nie miała męża, tak samo jak Mama Andżeliki, więc Zuzia czuła, że dziewczynki przez to lepiej się rozumiały. Tymczasem Basia Pająk była najlepsza z WF-u. Nie miała czasu na myślenie o ubraniach i muzyce, bo startowała we wszystkich turniejach sportowych, które z powodzeniem wygrywała. Była kapitanem drużyny w koszykówkę. Nosiła piękny granatowy dres. Z Piotrem Słodzikiem chodziła do tej samej klasy w szkole sportowej, ale od razu było widać, że za sobą nie przepadają. Zuzia nie wiedziała, czy chce się zaprzyjaźnić z Basią, czy też chce być jak najbliżej Piotra...

Piotr miał fantastyczne trampki i był wysoki. Cudownie się uśmiechał, gdy nie radził sobie na zajęciach z polskiego. Pani Wychowawczyni z nieskrywaną sympatią stawiała mu wtedy naciąganą czwórkę. Piotr z kolei szybko się zorientował, że Zuzia jest świetna z polskiego. Gdy tylko trzeba było przygotować wypracowanie, podchodził do niej i uśmiechał się, pokazując równe zęby. Zuzia jak zaczarowa-

na wracała potem do domu i pisała najpierw przepiękne wypracowanie dla Piotra, a potem zmęczone i pośpieszne dla siebie. Piotr dostawał piątkę, a Zuzia... czwórkę.

Dziewczynka doszła jednak do wniosku, że jest w stanie zapłacić każdą cenę, byle tylko usłyszeć od Piotra:

– Dzięki, fajnie, super.

Któregoś dnia, kiedy Zuzia wychodziła już ze szkoły, podbiegła do niej Basia Pająk.

– Dwie sprawy – zaczęła bardzo konkretnie. – Pierwsza jest taka, że niedługo będzie turniej, a w biegu na sześćset metrów brakuje nam zawodniczki. Może byś spróbowała?

Zuzia nigdy nie biegała, to znaczy trochę sobie biegała, ale nigdy nie liczyła, czy to jest bieg na sześćset metrów, czy na sto. Nie miała odpowiednich butów i nie wiedziała, jak się do takiego biegu przygotować. Z drugiej strony doskonale zdawała sobie sprawę, że na wszystkie turnieje Basia jeździ razem z Piotrem. To by była fantastyczna okazja do spotkania

i do pokazania mu, jak wspaniałą zawodnicz-
ką jest Zuzia. Dziewczynka czuła, że miłość
do Piotra tak ją uskrzydli, że z biegiem nie po-
winno być żadnych problemów. No, może nie
zajmie pierwszego miejsca, ale drugie, trzecie,
czemu nie?

– Nie martw się. Pochodzisz ze mną na treningi. Do turnieju zostały dwa tygodnie.
A druga sprawa jest taka, że jesteś naprawdę

fajną dziewczyną i ciężko mi patrzeć, jak się starasz dla tego gogusia Piotrka. Znam go. On jest miły dla każdej dziewczyny, która coś dla niego zrobi. To nie jest chłopak dla ciebie. Zasługujesz na kogoś fajniejszego.

Nie czekając na odpowiedź, Basia Pająk po tych słowach pobiegła zgrabnie w swoją stronę. Zuzia musiała się zatrzymać i usiąść na kamiennych scho-dach. Radość mieszała się w niej ze wstydem i poruszeniem. Dla-czego Basia tak mówi o Piotrze? Przecież jest taki miły i uśmiechnięty. I śliczny jak z plakatu. Zuzia westchnęła. Piotr był najlepszym piłka-rzem nożnym w szkole. Kiedy grał na boisku albo na sali gimnastycz-nej, to nawet nauczyciele

WF-u, w tym Pan Wojciech Srebrny, wychodzili ze swojego pokoju popatrzeć na niego.

Z drugiej strony Zuzia bardzo się ucieszyła, że taka konkretna osoba, jaką była Basia Pająk, podeszła do niej i zaproponowała udział w turnieju. Czyli widziała w Zuzi zawodniczkę, widziała w niej talent! Nie można było tego zmarnować, nie można było tego zaprzepaścić!!!

Zuzia dziarskim krokiem ruszyła do domu. Miała już w głowie cały plan. Pomyślała nawet, że życie lekarza nie będzie tak fascynujące jak życie zawodniczki. Te puchary, te nagrody i ci wszyscy sportowcy, i z pewnością mąż-piłkarz!!!!! Och, to by było piękne!

W domu był tylko Tata, który przywiózł Gilera ze szkoły. Nalewał mu właśnie krupnik, gdy Zuzia, ledwo zawiesiwszy kurtkę w przedpokoju, wpadła do kuchni i głośno zawołała:

– Tatusiu, muszę zrobić wszystko, żeby zająć przynajmniej trzecie miejsce w tym turnieju. Nie mogę zawieść Basi Pająk! I będzie tam też Piotr Słodzik! Tato, ja nigdy niczego nie

chciałam, ale teraz bardzo, bardzo potrzebuję butów do biegania i dresu! I żebym mogła
chodzić na treningi! Tato, błaaaaagaaaam!!!!

– Spokojnie, Zeziu, to znaczy – Zuziu. Nie krzycz. Wiesz, że Giler tego nie lubi – ostudził delikatnie córkę Tata. – Opowiesz nam wszystko, jak Mama wróci z pracy, dobrze? A teraz umyj ręce i siadaj do stołu. Krupnik czeka.

Zuzia westchnęła głęboko, zjadła posłusznie zupę i poszła do swojego pokoju. Czekanie na Mamę było wielką męką. Zuzia czuła głęboko w środku, że boi się tego turnieju, ale marzy o zachwycie Piotra Słodzika... A co, jeśli jej nie wyjdzie? Jeśli to będzie kompletna porażka? Straci wtedy wszystko. I uznanie Piotra, i przyjaźń Basi Pająk. Dziewczynka wiedziała jedno. Basia jest osobą, na której ona, Zuzia, może polegać. Jeśli ona ją wytypowała, TO COŚ OZNACZA!

Kiedy Mama w końcu dotarła do domu wraz z Frankiem, którego po drodze zawsze odbierała z przedszkola, Zuzia była już spokojniejsza. Powoli i dokładnie przedstawiła Rodzicom całą sprawę. Mama trochę była zatroskana, bo uważała, że Zuzia ma słabe płuca.

Bieganie to spory wysiłek. Tata jednak zapro-
ponował, by ich córka po prostu spróbowała,
a gdyby zaczęło się dziać coś niepokojącego,
zastanowią się nad tym jeszcze raz.

Mama ostatnio była bardziej pogodna.
Zuzia zauważyła jednak, że coś dziwnego pojawiło się w zachowaniu Pani Zezik. Dziewczynka
nie potrafiła do końca tego uchwycić. Chodziło
o drobiazgi. Mama zawsze pytała Tatę, czy na-
łożyć mu obiad na talerz. Teraz przestała i Tata
nakładał sobie obiad sam. Fakt, że Tata rzadko miał na obiad Mamy ochotę. Albo pochła-
niał ukradkiem dwie tabliczki czekolady i nie
mógł już nic zmieścić, albo zjadał coś na mie-
ście, gdy czasem zdarzało mu się gdzieś wy-
jechać. Zuzia musiała też uczciwie przyznać,
że jeśli Tata już zjadał obiad przygotowany
przez Mamę, rzadko dziękował i chwalił Mamę
za zrobienie posiłku. A przecież Zuzia widziała,
że Tacie obiad naprawdę smakuje. Wcześniej
Mama całowała Tatę na dobranoc lub – gdy
Tata był w łazience – głośno się z nim żegnała,

wołając: „Dooooobraaanooooc". Teraz przestała. Prawda była też taka, że Zuzia rzadko widziała, by Tata pierwszy się żegnał i chciał cmokać Mamę. A i tutaj Zuzia czuła, że sprawiałoby to Tacie dużą przyjemność. Tych drobiazgów z każdym dniem przybywało coraz więcej.

Zuzia była przejęta przygotowaniami do turnieju i nie mogła się teraz na tym skupiać. Była zakochana, miała nową koleżankę, której chciała się pokazać z jak najlepszej strony. Sprawy Rodziców postanowiła zostawić Rodzicom. W końcu byli dorośli i na pewno wiedzieli, co robią.

I tutaj Zuzia bardzo się myliła.

Turniej

Wrzesień powoli się kończył. Zuzia była bardzo podekscytowana najbliższymi wydarzeniami. Dostała od rodziców piękny dres i buty. Teraz trzeba było tylko biegać. Na szczęście w Malinówce nie brakowało miejsca do trenowania.

Basia Pająk mieszkała wprawdzie w pobliskim Gruszkowie, ale dziewczynki bez problemu umawiały się po lekcjach na treningi w parku. No i przede wszystkim razem chodziły na stadion do klubu sportowego, gdzie na co dzień trenowała Basia. Żeby lepiej opanować dobry start i szybki bieg, dziewczynki wymyśliły, że w drodze na stadion będą naciskać guziki domofonów przy furtkach co ładniejszych domów i szybko uciekać. Zabawa była

przednia, a i sprint, jak to fachowo nazywała Basia, całkiem niezły.

Zezi jednak nie szło dobrze bieganie na stadionie przy innych zawodniczkach i dziwnym trenerze. Ani razu nie pojawił się na zajęciach w dresie i po kryjomu palił papierosy. Gdy biegła, podobno za bardzo ruszała całym tułowiem. Podobno źle oddychała w trakcie biegu. Podobno miała zły start. I podobno miała zły finisz. Basia mocno Zuzi kibicowała, zagrzewała ją do walki, poprawiała błędy. Robiła więcej niż ziewający trener. Zuzia jednak z każdą chwilą czuła, że to chyba nie był najlepszy pomysł.

Po raz kolejny zbyt szybko opadła z sił, ciągnąc za sobą ciężką oponę przytroczoną na sznurku do pasa. Wszystko po to, „by cię trochę wyprostować, złotko", jak mawiał trener nie w dresie, Pan Darek Lipko. Nagle zauważyła, że na treningu w grupie chłopaków pojawił się ON! Piotr Słodzik we własnej osobie. Zuzia poczuła, jak krew z powrotem zaczęła krążyć w zmęczonych nogach. „Przecież to wszystko dla niego..." Basia też zauważyła Piotra, ale jej reakcja była zupełnie inna. Prychnęła tylko i wróciła do ćwiczeń przy płotkach.

Pan Lipko powiedział, żeby dziewczyny potrenowały walkę na bieżni w szybkim biegu na sześćdziesiąt metrów. Basia nie zgłosiła się do biegu. Wolała poćwiczyć skoki przez płotki. Zuzia i dwie inne dziewczynki ustawiły się na start. Piotr Słodzik na pewno musiał ją widzieć. Dziewczynka wciągnęła w płuca powietrze i nakazała wszystkim swoim mięśniom pełną współpracę. To ma być TEN bieg. Zuzia ma go wygrać. W imię miłości. Gdy Pan Lipko krzyknął START, Zuzia wyrwała do przodu. Gdyby był na bieżni pył lub kurz, to śmiało można by było napisać, że się zakurzyło. Wszystko działo się bardzo szybko. Dziewczynki biegły naprawdę prędko, ale Zuzia po prostu pofrunęła z taką energią i mocą, że bez problemu wygrała. Pędziła w takim tempie, że trudno było jej się zatrzymać, gdy minęła linię mety. To był jakiś cud! Udało się! Udało! I Piotr to widział, WIDZIAAAAŁ!!!

Basia objęła Zuzię.

– Rewelacja, rewelacja! Ty powinnaś śmigać na krótkich dystansach, a ja cię zgłosiłam do biegu na sześćset! Bez sensu!

Zuzia słuchała zachwyconej Basi, ale jednocześnie kątem oka zerkała, co robił Piotr. Pokazał jej kciukiem do góry, że w porządku! Och, dla tej chwili warto się było tak męczyć.

Jeszcze kilka dni i Zuzia wystąpi po raz pierwszy na turnieju szkół w lekkiej atletyce. Sześćdziesiąt a sześćset metrów. Czy Zuzia da sobie radę?

Turniej odbywał się w sobotę. Mama miała służbowy wyjazd integracyjny, więc Tata musiał zostać z chłopcami w domu. Wielki hałas na hali sportowej mógł się zdecydowanie nie spodobać Gilerowi, więc Tata wolał nie ryzykować. Ucałował córkę w dniu turnieju i zapewnił, że będzie trzymał kciuki. Pan Zezik wiedział, ile nerwów i poświęcenia kosztowały Zuzię ostatnie dni. Widział, jak dziewczynce zależy. Tym bardziej było mu przykro, że ani on, ani Mama nie pojawią się w tak ważnym dla ich córki dniu i nie będą jej kibicować.

Mama Zuzi awansowała i zajmowała się teraz szkoleniem nowych pracowników banku. Coraz częściej zdarzały się jej zajęte weekendy, co nie podobało się Tacie Zuzi. Wiedział jednak, że argument jest zawsze ten sam. Kredyt. Zuzia miała kilka słów, których nie lubiła. Kredyt był jednym z nich. To przez KREDYT Rodzice się kłócili. To przez KREDYT Mamy coraz mniej było w domu. To przez KREDYT Tata siedział jeszcze dłużej przy komputerze i to przez KREDYT nosił coraz grubsze szkła w okularach. Teraz zdjął je z nosa i objął córkę jakoś wyjątkowo mocno. Zuzia mogła spokojnie wyjść z domu.

Strój sportowy oraz fantastyczne buty do biegania miała spakowane w bardzo gustowną czerwoną sportową torbę. Czuła się świetnie, idąc wyprostowana w pięknym turkusowym dresie. Od razu było widać, że ulicami Malinówki idzie prawdziwa gwiazda sportu.

Dzwon w pobliskim kościele zaczął wybijać godzinę dziewiątą rano. Na dworcu czekała już na nią Basia Pająk. Basia była bardzo zaradna i dobrze zorganizowana. Trzymała w ręku bilety dla siebie i Zuzi. W torbie miała przygotowane kanapki, również z myślą o koleżance. Zuzię to mocno wzruszyło. Basia już w pociągu chętnie opowiadała o swoich rodzicach, którzy bardzo się kochali, i starszym bracie, który miał czternaście lat i był łobuzem. Basia mimo wszystko mówiła o nim niezwykle ciepło i z ogromnym szacunkiem. To się Zuzi bardzo podobało. Wieczne narzekania Andżeliki Owsianki na wszystkich i jej plotkowanie oddaliło Zuzię od dawnej przyjaciółki. Dziewczynka czuła, że Basia jest dojrzalsza. Z nią śmiało można było próbować wydorośleć. Zuzia nie lubiła hałaśliwej muzyki ani jaskrawych kolorów ubrań, w które zaczęła ubierać się Andżelika. Przypomniała sobie słowa Agaty Kubiak, która powiedziała jej, że nieraz w życiu będzie żegnać ludzi i poznawać nowych. To była prawda. Swoją drogą Zuzia bardzo chciała spotkać się z Agatą i zwierzyć się jej ze swoich kłopotów i sekretów. Najpierw jednak czekał ją turniej.

Dziewczynki bez problemu dojechały do większej od Malinówki miejscowości, która nazywała się Zamczysko. To właśnie w Zamczysku odbywała się wielka impreza sportowa. Hala była imponująca. Kłębiło się w niej mnóstwo ludzi. Dziewczynki z trudem odnalazły Panią Izabelę Srebrną. Stała z resztą dzieci reprezentujących szkołę Zuzi w różnych dyscyplinach sportowych. Wśród nich był Piotr Słodzik. Dziewczynka natychmiast poczuła łaskotanie w brzuchu. Piotr wyglądał taaaak dooooobrze w swoim granatowym dresie.

Wśród dzieci z klasy Zuzi stał jeszcze jeden chłopak: Przemek Kiszka. Przemek był chłopcem dużym, niezwykle silnym, ale dość małomównym. Reprezentował szkołę Zuzanny w pchnięciu kulą. Był jasnym blondynem.

Rzadko się uśmiechał, ale był świetny z matematyki.

Przemek bardzo lubił Zuzię. Jakoś nie mógł się przekonać do Piotra Słodzika, choć starał się go polubić. Bo Przemek lubił innych i nigdy sam nie rozpoczynał żadnej bójki. Chłopcy z klasy Zuzi raczej z nim nie zadzierali. Wszyscy wiedzieli, że Przemek jest najsilniejszy w szkole. Przemek nie lubił tylko meczów piłki nożnej. Rozumiał i doceniał całe zamieszanie związane z pojawieniem się Piotra Słodzika w szkole i na boisku, ale nie piał jak inni z zachwytu. Kiedy zobaczył Zuzię, która cała zarumieniona z emocji przybiegła wraz z Basią Pająk do Izabeli Srebrnej, uśmiechnął się do siebie. Dobrze się czuł, patrząc na ulubioną koleżankę z klasy, a nawet, jak to sam w środku przyznawał, z całej szkoły. Widział też, jak bardzo Zuzi podoba się Piotr Słodzik. Nie był tym faktem szczególnie zachwycony. Był przekonany, jak prawdziwy mężczyzna, że przyjdzie taki dzień, że Zuzia będzie tylko jego...

Tymczasem rozpoczęły się zawody. Pani Izabela poszła oficjalnie zgłosić swoich podopiecznych. Dziewczynki udały się do swojej szatni, a chłopcy do swojej. Basia pierwsza miała swój bieg eliminacyjny. Bez problemu go wygrała i spokojnie czekała na bieg finałowy. Zuzia była bardzo zdenerwowana. Pan Darek Lipko, trener bez dresu, tłumaczył jej jeszcze na treningach, że powinna dobrze rozłożyć siły na te sześćset metrów. Zuzia nie do końca to rozumiała. Bieg na sześćdziesiąt metrów zdecydowanie bardziej się jej podobał. Musiała biec najszybciej, jak się da, aż do końca, a nie rozkładać siły czy coś w tym stylu.

W końcu przyszedł ten moment.

Zuzia została wyczytana przez jakiegoś pana, który huczał przez megafon. Jej nazwisko i imię zabrzmiało jakoś złowrogo i obco. „Co ja tutaj robię?" – pomyślała blada z przerażenia.

Razem z Zuzią w biegu eliminacyjnym brała udział uczennica z równoległej klasy: Paulina Bzyk. Zuzia bardzo jej nie lubiła, bo dziewczynka była świetna w bieganiu, ładna i baaaaardzo zarozumiała. Niestety, Piotr Słodzik baaaardzo mocno oglądał się za Pauliną Bzyk. Zuzannę Zezik mocno to bolało. Zuzia rozumiała już, dlaczego dorośli rysowali serce przebite strzałą albo mieczem, gdy chcieli opisać uczucie miłości. Dziewczynka czuła, że ma serce przebite strzałą, która nazywała się PIOTR SŁODZIK. Paulina wygląda niestety bardzo ładnie. Miała piękne ciemne włosy związane teraz w warkocz. Jej długie opalone nogi wyglądały szałowo. Zuzia, która niestety musiała stać akurat przy niej, czuła się jak puchata owca... No nic. Trzeba było wziąć się w garść. Piotr Słodzik przygotowywał się do biegu na tysiąc dwieście metrów. Czekał z innymi zawodnikami, aż dziewczynki ukończą swoją rywalizację. Siłą rzeczy musiał oglądać ten bieg. To było straszne. Zuzia myślała, że zemdleje z rozpaczy. Tuż przed ustawieniem się w blokach startowych podbiegła do zdenerwowanej Zuzi Basia Pająk. Uściskała ją i szepnęła do ucha:

– Odwagi, Zuzka, niczym się nie przejmuj!

Zuzia poczuła, że to będzie coś strasznego. Cieszyła się w duchu, że na jej porażkę nie będą patrzeć Rodzice. Oczywiście już żałowała, że nie będzie miała się do kogo przytulić po z pewnością nieudanym biegu. Kiedy pistolet wystrzelił, Zuzia wiedziała jedno: chce przynajmniej na początku biegu prowadzić. A potem niech się dzieje, co chce. Wyskoczyła do przodu i w szybkim tempie pokonała prawie pół okrążenia. Potem zmęczyła się. Wyprzedziła ją oczywiście Paulina Bzyk. A później rozwiązało się sznurowadło. Zuzia, już kompletnie zrezygnowana, przewróciła się o nie, upadając boleśnie na tor wyścigowy.

Kuśtykając i patrząc w dół, dobiegła jako ostatnia... Basia Pająk już na nią czekała. Zuzia padła jej w ramiona i zaczęła szlochać. Tyle przygotowań, tyle trudu.

– Zuziu, posłuchaj, wiem, że się nie udało. Ale to nie był twój dystans, rozumiesz? Jesteś dobra w krótkich biegach! W przyszłym roku zgłosimy Cię na sześćdziesiąt metrów i będzie OK, wiesz? – krzyczała jej do ucha Basia. Ale Zuzia już nie chciała niczego słuchać. Spojrzała tylko w stronę zwyciężczyń. Paulina Bzyk wygrała eliminacje. Piotr Słodzik rozmawiał z nią właśnie mocno rozbawiony. Zuzia bardzo chciała już jechać do domu. Pani Izabela objęła mocno swoją zawodniczkę.

– Zuziu, walczyłaś jak lew. Tutaj wszyscy są po wielu miesiącach, a nawet latach treningu. Ty w dwa tygodnie wykonałaś nadzwyczaj ciężką pracę. Powinnaś być z siebie dumna. Nie o wygraną tutaj chodzi. Wiem, że to teraz dla Ciebie trudne, ale nie wymagaj od siebie zbyt wiele. Sport to ciężka praca.

Zuzia bez słowa poszła do szatni przebrać się w dres. Nienawidziła butów, torby, stroju, tej hali i wszystkiego, co się kojarzyło z bieganiem.

Dzieci będą się z niej śmiały jeszcze długo, a Piotr Słodzik ze swoją Paulinką najdłużej...

– Chcesz jabłko? – Zuzia usłyszała charakterystyczny spokojny głos Przemka Kiszki. Chłopiec czekał na nią, gdy wychodziła z szatni.

– Nie chcę, dzięki – fuknęła nieuprzejmie Zuzia i minęła Przemka. Wstydziła się teraz każdego, kto mógł widzieć jej fatalny bieg i upadek. Przemka Kiszkę bardzo lubiła, ale teraz czuła się wyjątkowo źle i chciała jak najszybciej wrócić do domu.

Dopiero nazajutrz dowiedziała się od Basi Pająk, że Przemek jako jedyny z ich szkoły zajął pierwsze miejsce w pchnięciu kulą. Zuzi zrobiło się strasznie głupio i nieprzyjemnie, że tak potraktowała prawdziwego bohatera sportu.

Co się tam dzieje?

Zuzia powoli wracała do szkolnej rzeczywistości. Po kilku dniach już nikt nie pamiętał o nieudanym występie Zuzanny Zezik na zawodach. Dziewczynka mogła spokojnie wrócić do swoich dotychczasowych zajęć. Basia Pająk nie nakłaniała jej już więcej ani do treningów, ani do udziału w sportowych turniejach. Zuzia była jej za to baaaaardzo wdzięczna.

Przyszły październikowe chłody i poranne mgły. W małym pokoiku u Agaty Kubiak było ciepło i przytulnie. Zuzia ogromnie się cieszyła, że nareszcie sobotnie poranki może spędzać w towarzystwie swojej najbliższej przyjaciółki. Dziewczynki w milczeniu piły kakao z dużych kubków.

Agata miała biały kubek w zielone groszki, a Zuzia czerwony w białe. Ulubionym momentem podczas picia kakao, przynajmniej dla Zuzi, była ta chwila, gdy na dnie kubka zostawały resztki nierozpuszczonego czekoladowego proszku. Zuzia lubiła patrzeć, jak brązowy płyn miesza się z ciemną częścią nierozpuszczonego kakao. Powstawały wtedy różne zawijasy na resztkach niedopitego mleka.

Szyby małego okna w pokoju Agaty były zaparowane, a za oknem padał deszcz. Zuzia skończyła opowiadać o turnieju, o Piotrze Słodziku i Andżelice Owsiance, z którą nie dało się już przyjaźnić tak jak kiedyś. Ale najbardziej niepokoił Zuzię temat Mamy i Taty. Od powrotu Pani Zezik z pogrzebu Dziadka Zuzia wyraźnie widziała, że Rodzice są milczący i smutni. Oboje. Tak jakby mieli do siebie o coś żal. A przecież to nie była wina Taty, że Dziadek umarł. Od kiedy Zuzia miała więcej czasu i zamknęła temat treningu, wrzucając uroczyście sportową torbę wraz z butami do biegania na dno szafy, mogła dokładniej przyjrzeć się swoim Rodzicom.

Mama pracowała teraz jeszcze więcej i była ciągle zmęczona. To, co wcześniej sprawiało jej przyjemność, teraz nie budziło uśmiechu na Maminej twarzy. Do Taty Mama zwracała się tylko w sprawach związanych z domem

i dziećmi. Zuzia słyszała, jak po położeniu Franka do łóżka Rodzice spędzali wieczorny czas osobno: Tata przed swoim komputerem, a Mama przed swoim.

Weekendy były teraz najbardziej przygnębiające. Mama w ciszy przygotowywała obiad i sprzątała dom, a Tata jechał z Gilerem i Oczakiem na plac zabaw. Ten czas Rodzice też spędzali OSOBNO. Dlatego Zuzia tak bardzo cieszyła się na spotkania z Agatą właśnie w dni wolne od szkoły. W domu zrobiło się przeraźliwie smutno. Gdy Rodzice zaczynali się sprzeczać o naprawdę drobne sprawy, było wręcz nieprzyjemnie. Coraz częściej zdarzało się, że Mama pracowała również w sobotę, a nawet wyjeżdżała na cały weekend.

Zuzia wyraźnie czuła, że Mama nie może się tych wyjazdów doczekać. Pakowała wtedy pośpiesznie torbę, ściskała i całowała każde ze swoich dzieci. Do Taty nie podchodziła, a raz zdarzyło się, że nawet nie powiedziała Tacie „Do widzenia". To bardzo smuciło dziewczynkę. Franek był za mały, żeby zauważyć powagę tej sytuacji. Giler miał swoje sprawy i swój świat. Rodzice byli w nim potrzebni do konkretnych zadań, więc to było dla niego OCZYWISTE, że Tata i Mama mają być w domu do jego dyspozycji. Czarek, czyli Giler, był coraz wyższy i coraz silniejszy. Potrzebował więcej przestrzeni, zajęć i uwagi. Rodzice z każdym dniem stawali się smutniejsi, ale też bardzo dla siebie niemili. Oboje mieli też coraz mniej cierpliwości dla Gilera, który nauczył się przechodzić przez ogrodzenie. Gdyby nie czujność sąsiadów, Rodzicom byłoby ciężko dogonić Czarka i przyprowadzić go z powrotem do domu. Wszystko to było trudne. Zuzia widziała i wiedziała, ile trudu kosztuje Rodziców opieka nad jej wyjątkowym Bratem. Teraz czuła, że Państwo Zezikowie opadli z sił.

Dziewczynce przyszedł na myśl widok wielkiego dmuchanego zamku, który stał na placu zabaw u Oczaka w przedszkolu. Kiedy nadeszły październikowe deszcze i silny wiatr, trzeba było spuścić z niego powietrze i schować go w bezpieczne miejsce. Gdy powietrze zaczynało uchodzić z dmuchanej zabawki, powoli zapadały się strzeliste wieżyczki. Z czasem zamek zamienił się w płachty kolorowego materiału leżące żałośnie na trawie. Tak właśnie Zuzia widziała teraz swoich Rodziców. Mama więdła z każdym dniem jak piękny kolorowy kwiat, który przestał być podlewany. Tata garbił się coraz bardziej przed wiecznie włączonym monitorem komputera. I właśnie dlatego Zuzia postanowiła porozmawiać na ten temat z Agatą.

Starsza koleżanka Zuzi chciała zostać weterynarzem. Zuzia pomyślała, że skoro Agata tak bardzo chce pomagać zwierzętom, to może zna się też na Rodzicach, z których powoli uchodziło powietrze. Może udałoby się znaleźć jakiś magiczny plaster i przykleić go Mamie i Tacie, by znowu byli uśmiechnięci i szczęśliwi, że mają swoje dzieci, domek i SIEBIE. Agata nie wiedziała, co zrobić. Sama wychowywała się bez taty i nie potrafiła pomóc swojej przyjaciółce. Widać było, że ten temat jest dla przyjaciółki trudny, więc Zuzia zrezygnowała. Smutna wróciła do domu.

Mama dzisiaj też wyjeżdżała. Wyglądała przepięknie w eleganckiej spódnicy i granatowym płaszczu, ale oczy Mamy były smutne.

Tata był w ogródku, gdy przyjechała taksówka. To też było dziwne, bo do tej pory Tata zawsze odwoził Mamę na dworzec lub tam, gdzie sobie życzyła. Teraz Mama nie chciała i zaznaczyła to bardzo wyraźnie. To było takie mocne NIE CHCĘ, z którym Tata już nie dyskutował.

– Mamo, będę tęskniła – powiedziała Zuzia, wtulając się w maminą szyję pachnącą różami. Mama nic nie odpowiedziała, tylko mocniej przytuliła swoją córkę. Potem jeszcze Zuzia widziała, jak w taksówce Mama ociera chusteczką oczy. Serce Zuzi zadrżało. Trzeba było coś z tym zrobić. Tata pojawił się po chwili przy furtce.

– Mama już pojechała? – spytał Zuzię.

– Tak, Tato – odpowiedziała bardzo poważnym głosem jego córka. – Tato... – zaczęła Zuzia z dużym wahaniem – dlaczego Mama jest smutna, co się dzieje?

– Mama jest zmęczona. Niech sobie od nas trochę odpocznie – powiedział Tata, który sam był niewyspany po kiepskiej nocy. Giler właśnie odkrył nową kryjówkę na słodycze, a po ich zjedzeniu nie spał zbyt dobrze.

Kto mógł Zuzi pomóc? Andżelika, która świetnie znała się na sprawach damsko-męskich, byłaby najlepsza, ale Zuzia już nie była z nią tak blisko. Poza tym Andżelika zawsze z zazdrością patrzyła na Rodziców Zuzi. Sama miała tylko Mamę. Może nawet ucieszyłaby się, gdyby Zuzia opowiedziała jej o kłopotach w domu. To nie był więc dobry pomysł. Basia Pająk miała Tatę i Mamę, więc Zuzia pomyślała, że gdy nadarzy się dobry moment, porozmawia o swoich kłopotach właśnie z nią.

Na ratunek!

Okazja do rozmowy nadarzyła się dość szybko,
bo Zuzia bardzo tego pragnęła. Mocno wierzy-
ła, że jak się czegoś pragnie, to w końcu TO się
dzieje. Zachorowała jedna z Pań Nauczycielek
i ostatnią lekcję odwołano. Dziewczynki zostały więc w szkole. Zuzia pomyślała, że świetnym
miejscem do rozmowy będzie szatnia, w której podczas lekcji nigdy nikogo nie było. Zuzia
nabrała duuuużo powietrza w płuca i opowiedziała cichym głosem, co leżało jej na sercu.
Basia słuchała, nie przerywając. Potem zapa-
dła cisza. Po chwili Basia powiedziała:

– To straszne, ale u mnie w domu jest to samo.

– Jak to? – zdumiała się Zuzia. – Przecież
twoi Rodzice wyglądają na bardzo szczęśli-
wych, gdy przychodzą do szkoły.

– A ja myślałam, że to ty masz świetnie w domu – z wyraźnym rozczarowaniem odpowiedziała Basia.

To było niebywale przykre odkrycie. Kiedy dziewczynki zamykały za sobą szatnię, akurat ze szkoły wychodził Ksiądz Leon. Zuzia

poczuła, że może właśnie z nim warto byłoby porozmawiać. Szybko pożegnała się z mocno przygnębioną Basią i z nadzieją podbiegła do Księdza.

Ksiądz Leon śpieszył się do kościoła. Zuzia spytała, czy może mu towarzyszyć w drodze, bo ma bardzo ważną sprawę. Ksiądz Leon nie miał nic przeciwko temu.

Droga ze szkoły do kościoła nie była zbyt długa, więc dziewczynka szybko opowiedziała Księdzu o tym, co leżało jej na sercu. Kiedy zbliżali się do kościelnej furtki, Ksiądz Leon spojrzał na dziewczynkę z dużym zatroskaniem. Powiedział tylko:

– Módl się, proszę, za swoich Rodziców. Postaram się porozmawiać z nimi przy następnym zebraniu szkolnym, dobrze? Zrobię to tak, żeby Rodzice nie mieli do ciebie żalu, że poruszyłaś ze mną ten temat. Możliwe, że nie będą chcieli ze mną rozmawiać o swoich kłopotach.

Dziewczynka bardzo się ucieszyła. Czuła, że nareszcie działa, próbuje pomóc i ratować.

Wieczorem, kiedy leżała już w łóżku, postanowiła przejrzeć przed snem swoją ulubioną książkę o niebezpiecznych wypadkach i ratowaniu ludzi.

Było tyle sposobów na zatamowanie krwi, zagojenie każdej rany! Ale co zrobić z Rodzicami, którzy przestali siebie słuchać i robili wszystko

OSOBNO? Zuzia starała się być w tym naprawdę sprawiedliwa. To Mama chciała wychodzić z Tatą na przykład do kina albo do znajomych, ale Tata nigdy nie miał ochoty. To Mama wymyślała różne wycieczki, na które Tata nie chciał jeździć. Wycieczki... No właśnie! Zuzi wpadł do głowy świetny pomysł.

Rano przy śniadaniu dziewczynka powiedziała:

– Mamo, bardzo chciałabym pojechać na grzyby do Babci.

Taka prośba nie powinna Rodziców zaskoczyć. Mama uwielbiała zbierać grzyby. Gdy tylko zaczynał się sezon grzybobrania, sama co roku organizowała taki wyjazd do Babci i Dziadka. Zabierała Zuzię, bo tylko Zuzia była na tyle cicha i cierpliwa, by chodzić po lesie parę godzin i szukać dorodnych prawdziwków. Tata nie lubił chodzić po lesie. A jeśli nawet lubił, to i tak ktoś musiał się zająć Gilerem, który z kolei był w lesie przeraźliwie hałaśliwy. To nie podobało się innym grzybiarzom. A już

na pewno leśne zwierzęta nie były zadowolone z głośnych pohukiwań Czarka.

– To jest świetny pomysł, Zuziu – powiedziała Mama, która na moment stała się dawną radosną Mamą. – Mam akurat wolny weekend, więc śmiało możemy pojechać do Babci.

Tak też się stało. Zuzi bardzo zależało, żeby pobyć z Mamą i żeby czasem nie przyszło jej do głowy wyjeżdżanie gdzieś na weekend. To było wspaniałe uczucie, widzieć swoją ukochaną Mamę nie w służbowej garsonce, tylko w kaloszach, męskim płaszczu i w śmiesznej rybackiej czapce na głowie. Zuzia, Mama

i Babcia w milczeniu zbierały grzyby, których w tym roku było całe zatrzęsienie. Po dwóch godzinach paniom zabrakło miejsca w ogromnych koszach. Babcia ustaliła z Mamą, że wrócą do domu na drugie śniadanie i pojadą na grzyby jeszcze raz po południu. Tym razem zabiorą więcej siatek i koszy. Zuzia zjadła z apetytem przepyszne kanapki z szynką i żółtym serem, które Babcia dodatkowo udekorowała plasterkami pomidora, ogórka i rzodkiewki. Potem poszła do dawnego pokoju Mamy niby poczytać lekturę szkolną. Mama razem z Babcią zostały w kuchni i zabrały się za czyszczenie grzybów. Zuzia wiedziała, że podsłuchiwanie rozmów dorosłych nie jest grzeczne. Czuła jednak całą sobą, że jest blisko odkrycia jakiejś okropnej przyczyny, dla której Mama zaczęła więdnąć i być z Tatą tak bardzo OSOBNO. Na początku panie rozmawiały o Dziadku. Babcia była jeszcze trochę smutna, ale głównie opowiadała o pięknym nagrobku i kwiatach, które zasadziła obok grobu. Była też zła, że ktoś oprócz niej zasadził koło grobu Dziadka piękny różany krzew. Zuzi trudno było zrozumieć, dlaczego ten fakt tak mocno rozgniewał Babcię Ciemnowłosą. Dziewczynka zatopiła się w lekturze książki „Ania z Zielonego Wzgórza". Myślała też o tym, jak ułoży się jej życie uczuciowe. Piotr Słodzik był śliczny, ale zdecydowanie wolał towarzystwo innych dziewczynek, w tym przepięknej, wysokiej i długonogiej Pauliny Bzyk. Zuzia poczuła w sercu jeszcze jedną ważną rzecz. Bardzo chciała znowu być małą dziewczynką! Dorastanie ją zmęczyło. Chciała być znowu Zezią i mocno przytulić się do Mamy. Dziewczynce zrobiło się przeraźliwie smutno. Już, już miała pobiec do kuchni, gdy usłyszała, jak Babcia zaczęła rozmawiać z Mamą na zupełnie inny temat. Drzwi od kuchni cicho zostały zamknięte. Zuzia, która znowu chciała być Zezią, słyszała od teraz tylko przytłumione głosy Mamy i Babci. Jedyne, co udało się dziewczynce wyłapać, to zdanie Babci:

– Pamiętaj, że masz dzieci.

I jedno zdanie Mamy:

– Dłużej już nie wytrzymam.

Zuzia, a raczej Zezia, nie chciała już więcej słuchać. Czego Mama nie mogła wytrzymać?

Przecież nawet Giler ostatnio był dość spokojny. Zaczął niewyraźnie, ale jednak mówić kilkanaście nowych słów. Jadł naleśniki z syropem klonowym i nie drapał się po nich tak jak wcześniej. Franek-Oczak był uśmiechnięty i radosny, Zezia starała się być odpowiedzialna, a ostatnio nawet prawie dorosła. Dobrze się uczyła i nie przysparzała żadnych kłopotów... Chyba jednak chodziło o Tatę Zezi... To z nim Mama nie mogła wytrzymać. A może wszystko naraz? A może Tata miał rację, mówiąc, że Mama jest zmęczona? Każdy dzień wyglądał tak samo. Mama z Tatą mieli na głowie mnóstwo obowiązków. Może to ich tak zmęczyło? Zezia nie wiedziała. Była coraz smutniejsza.

Zapukała do kuchennych drzwi. Już po chwili siedziała zapłakana na kolanach Mamy, która, jak się okazało, też była zapłakana i tuliła się akurat do swojej Mamy, czyli Babci Ciemnowłosej, obecnie Rudowłosej.

Wszystkie panie jeszcze chwilę pochlipały, a potem znowu wybrały się do lasu na grzyby. W niedzielę wieczorem Mama wraz z Zezią były już z powrotem w Malinówce.

Mama była w bardzo dobrym humorze. Na drugi dzień miała ważne szkolenie i po rozpakowaniu natychmiast zabrała się do przygotowań. Zuzia przytuliła się do Taty.

– Tato, chcę, żebyś znowu mówił do mnie Zezia, dobrze?

Tata objął mocno swoją córkę i powiedział jej cicho do ucha:

– Jasne, ja też nie chcę dorosnąć.

Oboje pochichotali chwilę. Podniesiona mocno na duchu Zezia położyła się do łóżka i natychmiast zasnęła.

A więc to tak?

Na początku listopada cała rodzina po raz pierwszy odwiedziła grób Dziadka, a potem w długich korkach wracała do domu. Tymczasem zaczął się okres przeziębień i wirusów. Co chwila któreś z dzieci Państwa Zezików było chore. Najgorzej wszystkie infekcje przechodził mały Franek, który po raz pierwszy spędzał tyle czasu z większą grupą dzieci w przedszkolu. Małe dzieci wzajemnie się zarażały. Z tego powodu Oczak najczęściej z całej trójki zostawał w domu.

Zezia zauważyła, że Mamie coś jednak sprawia przyjemność. Pojawiło się coś pięknego i radosnego w oczach Mamy Zezi.

W domu nic szczególnie się nie zmieniło. Plecy Taty cały czas było widać zza komputera,

Franek chorował, a pogoda była coraz bardziej
nieprzyjemna i brzydka. Mimo to Pani Zezik
zaczynała kwitnąć. Zezia pomyślała, że może
wydarzył się jakiś cud. Przecież modliła się codziennie przed pójściem spać, tak jak polecił
Ksiądz Leon.

Rodziców czekało zebranie szkolne. Zezia liczyła na pomoc Księdza. Wszystko chyba układało się dobrze. Wprawdzie oceny Zezia miała trochę gorsze, bo bywała czasem zbyt rozkojarzona. W sumie jednak nie przejmowała się tym jakoś bardzo. Uczyła się gorzej, bo cały czas myślała o swoich Rodzicach, no i... trochę o Piotrze Słodziku. Piotr miał świetną granatową kurtkę, w której wyglądał tak pięknie, że Zezia nie mogła złapać tchu. Na lekcjach siedział zdecydowanie za blisko i dziewczynka cały czas mocno odczuwała jego obecność. Dlatego też czasem wyrwana przez którąś z Pań Nauczycielek do odpowiedzi, nie bardzo wiedziała, o co jest pytana.

Nieodwzajemniona miłość do ciemnowłosego kolegi zaczynała jednak męczyć Zezię. Piotr przypominał sobie o niej tylko wtedy, gdy trzeba było przygotować pracę domową z polskiego. Zezia to dostrzegała. Wiedziała, że sympatia Piotra nie jest bezinteresowna. Mimo wszystko uważała, że chłopiec

jest uroczy. Tak pięknie dziękował jej zawsze
za wszystko!

Przemek Kiszka dostawał czwórki z polskiego, ale nigdy w życiu nie przyszłoby mu
do głowy poprosić Zezię o pomoc. Uważał
to za mało męskie. Patrzył z boku, jak Zezia
pomaga Piotrowi, sama dostając gorsze oceny, i coraz mniej mu się to podobało. Nie wiedział jednak, jak i czym mógłby zaimponować

swojej ulubionej koleżance z klasy, skoro nie chciała żadnej pomocy.

Był wyjątkowo zimny i deszczowy dzień. Zezia, wracając ze szkoły, postanowiła zajrzeć do oddziału banku, w którym pracowała Mama. Dziewczynka dawno tam nie zaglądała, a pogoda była paskudna, więc pomyślała, że to świetny pomysł. Mama nie spodziewała się córki, ale do tej pory niezapowiedziane wizyty jej najstarszego dziecka ogromnie ją cieszyły. Nigdy nie było problemu z odwiedzinami.

Coś się jednak zmieniło.

Kiedy przemoczona Zezia weszła do budynku, zastała Mamę rozbawioną i radosną w towarzystwie jakiegoś pracownika banku, którego Zezia nigdy wcześniej nie widziała. Mama stała tyłem do drzwi wejściowych. Gdy się odwróciła i zobaczyła swoją córkę, mocno się zmieszała:

– Ojej – powiedziała Mama i uśmiech z jej twarzy natychmiast zniknął.

Zezia cały czas stała i patrzyła to na Mamę, to na pracownika banku, z którym Mamie tak świetnie się rozmawiało.

– Mateuszu, poznaj moją córkę Zuzannę – odezwała się mocno zakłopotana Mama. Zezia przywitała się z Panem Mateuszem, uśmiechając się uprzejmie. Uważnie mu się przyjrzała. Na pierwszy rzut oka uderzające było podobieństwo Pana Mateusza do Taty Zezi. Dziewczynka nie mogła w to uwierzyć. Nie potrafiła więc wydusić żadnego słowa. W pierwszym momencie miała duży problem z odpowiedzią na pytania, które miłym i radosnym głosem zadawał jej Pan Mateusz. To było zastanawiające, że był jej tak ciekaw. W tym czasie Mama zawiesiła mokrą kurtkę Zezi na eleganckim i gustownym grzejniku. Poszła zrobić swojej córce gorącą herbatę. Pan Mateusz też miał kota, tylko jego kot nazywał się Karamba. Po kilku minutach Zezia poczuła się już troszkę bardziej ośmielona.

Po chwili nadeszła Mama z firmowym kubkiem. Pan Mateusz zachowywał się bardzo naturalnie i swobodnie, a Mama była wyraźnie spięta i mówiła do córki dziwnym, zbyt wysokim głosem. Zezia dopiła herbatę i pożegnała się z Mamą i Panem Mateuszem.

– Mam nadzieję, że jeszcze kiedyś porozmawiamy o naszych kotach – zawołał za Zezią Pan Mateusz.

Dziewczynka zamknęła za sobą drzwi i ruszyła przed siebie, by po krótkiej chwili odwrócić się i spojrzeć w witrynę banku. Prawie cała szyba była zaklejona widokiem szczęśliwej rodziny, która była zbyt mocno uśmiechnięta, by uwierzyć w to, co było napisane pod zdjęciem: „Bo mamy dobry kredyt!". Zezia już wiedziała, czym jest kredyt w jej rodzinie i jak wiele uśmiechu zabrał jej Rodzicom. Jakoś nie ufała rozradowanym twarzom ze zdjęcia. Między znakiem wykrzyknika a uśmiechniętą buzią dziecka z plakatu była przerwa, przez którą Zezia zobaczyła wyraźnie, jak Pan Mateusz całuje Mamę Zezi w rękę... Mama była wzruszona i uśmiechnęła się pięknie. Zezia w mig zrozumiała. Mama się zakochała!

„A więc to tak?" – pomyślała Zezia i smutno ruszyła w stronę domu. Deszcz był przenikliwy i drobniutki. Nie czuła wcale, że jej głowa jest cała mokra. Dopiero po chwili uświadomiła sobie czyjąś obecność. To Przemek Kiszka od dobrych paru chwil trzymał nad Zezią wielki czarny parasol i szedł w milczeniu obok.

Dziewczynka nie miała siły, żeby się dąsać. Chciała tak po prostu iść.

– Moja mama upiekła sernik. Chcesz wpaść? – zagadnął pewnym głosem Przemek.

– Chętnie – odpowiedziała z lekkim uśmiechem Zezia.

To była dobra decyzja. Przemek wziął od Zezi ponownie przemoczoną kurtkę i razem ze swoją zawiesił na wielkim starym kaloryferze. Zezia grzecznie przywitała się z Mamą Przemka, a potem weszła nieśmiało do pokoju chłopca.

To było mocno zawstydzające. Inaczej
było odwiedzać kolegów Zezi z podwórka
w ich domach, a inaczej składać wizyty ko-
legom z klasy. Nikt nie mógł się o tym do-

wiedzieć. Przemek jakby czytał w jej myślach. Jego Mama przyniosła ciepły kompot i pysznie wyglądający puchaty sernik, a potem cicho zamknęła za sobą drzwi. Przemek powiedział szybko:

– Nikomu nie powiem, nie martw się.

Zezia czuła, że może Przemkowi zaufać. Potem chłopiec pochwalił się jej znajomością gadów, płazów i ryb. Chyba nie było przyrodniczego tematu, na którym Przemek by się nie znał. Dziewczynka czuła się w jego towarzystwie bardzo swobodnie i dobrze. Żal jej było wychodzić, kiedy oboje uznali, że Zezia powinna już być w domu. Kurtka Zezi wyschła, a Mama Przemka spakowała kawałek sernika do siatki i wręczyła go Zuzannie. To było wyjątkowo miłe.

Dziewczynka chciała coś jeszcze powiedzieć, ale Przemek spojrzał na nią ze spokojnym uśmiechem. Zezia odczytała z jego spojrzenia, że wszystko jest w porządku. To było niezwykłe. Po raz pierwszy Zezia zrozumiała

się z chłopakiem bez słów. Miała tak czasem ze swoim Tatą, ale Tata był dorosły i chyba znał się na kobietach... Chociaż po spotkaniu Zezi z Mamą i Panem Mateuszem w banku dziewczynka zaczynała mieć duże wątpliwości, czy Tata rzeczywiście zna się na kobietach.

Po powrocie do domu dotarło do niej, że w oddziale banku podczas jej wizyty nie

było żadnych klientów. Dziewczynka nie wiedziała, co ma z tym wszystkim zrobić. Uśmiech
zakochanej Mamy, milczący Tata i jego plecy... Zezia wiedziała, że jeśli niczego nie zrobi,
to może już być za późno.

Rozlane mleko

Święta Bożego Narodzenia zapowiadały się w tym roku smutno i nieprzyjemnie. Zezia nie wytrzymała i opowiedziała Tacie o spotkaniu z Panem Mateuszem w oddziale banku Mamy. Wahała się, czy to zrobić. Poczuła jednak, że Mama jej to kiedyś wybaczy. Zezia chciała mieć w domu Rodziców RAZEM. Doszła do wniosku, że narażenie się na żal Mamy było niczym w porównaniu z katastrofą, która mogła czyhać na całą Rodzinę. Zezia bardzo dokładnie opisała Tacie całe spotkanie. Powiedziała też o najważniejszym: o pocałunku w rękę. Tata słuchał swojej córki nad wyraz spokojnie.

Wieczorem, kiedy przyszła Mama, Tata też był spokojny. Nic nie wskazywało, że cokolwiek miało się zmienić w jego zachowaniu. Rodzice wybierali się następnego dnia na wywiadówkę w klasie Zezi. Mieli pójść razem. Zezia cały czas się denerwowała, czy Mama już jest na nią zła, czy jeszcze nie. Ale z zachowania Mamy wynikało, że wszystko jest po staremu. Tata oznajmił Mamie, że przyjedzie po nią do banku, a potem razem wybiorą się do szkoły na godzinę szesnastą trzydzieści. Dziewczynka trochę się bała, że Tacie zwali się zbyt dużo przykrości na głowę. Jego i Mamę czekała rozmowa z Księdzem Leonem, o której Rodzice przecież nic jeszcze nie wiedzieli.

Zezia wróciła ze szkoły o godzinie czternastej. Od kilkunastu dni codziennie odprowadzał ją do domu Przemek Kiszka. Zezia lubiła jego towarzystwo. Dziewczynka coraz bardziej czuła, że Przemek jest jej zdecydowanie bliższy od wiecznie zajętego innymi dziewczynkami Piotra Słodzika. Chłopiec naprawdę lubił z nią rozmawiać i niczego od niej nie chciał w zamian. Od rozmowy w pokoju Przemka

Zezia znowu czuła, że chce być już troszkę bardziej dorosła. Nie żeby jakoś bardzo, ale tak trochę.

Kiedy tak szła z Przemkiem, wyższym od niej i niosącym jej ciężki plecak bez większego wysiłku, to czuła, że w tym jest coś. To nie był zwykły kolega jak inni.

– Bardzo cię lubię – wydukała Zezia tuż przed furtką prowadzącą do jej domu.

– Ja ciebie też. Bardzo... – Przemek mocno się zaczerwienił i szybko pożegnał dziewczynkę.

Wracał do domu jak na skrzydłach. W głowie mocno mu szumiało, a serce waliło jak dzwon.

Zezia tymczasem rozmarzona, ale trochę zaniepokojona dzisiejszą wywiadówką i skutkami rozmowy Księdza Leona z Rodzicami weszła do domu. Bardzo cicho zdjęła buty i powoli skierowała się w stronę swojego pokoju. Nagle zauważyła w salonie Tatę, który w sportowym dresie robił pompki na dywanie.

To był zdumiewający widok. Tata i sport?
Zezia odruchowo spojrzała w stronę fotela
i komputera, ale ani fotela, ani komputera tam
nie było. Dziewczynka musiała mieć nadzwy-
czajnie zdumioną minę, gdy Tata wstał w końcu z podłogi i spotkał się ze spojrzeniem jede-
nastoletniej Zuzanny.

– Zeziu, trzymaj dzisiaj za mnie kciuki – powiedział uroczyście Tata, który w ogóle nie był zmieszany. Wręcz przeciwnie. Tryskał energią i był mocno rozbawiony widokiem osłupiałej córki. – Jak myślisz, jak powinienem się ubrać, żeby dobrze wyglądać w tym banku? – zagadnął energicznie Zezię, gdy z przewieszonym przez ramię ręcznikiem udawał się do łazienki.

Dochodziła godzina szesnasta. Tata postanowił zgolić całą brodę. Włożył czarne spodnie i ani razu nienoszoną wcześniej czarną kurtkę. Zezia nie mogła uwierzyć, że jej Tata może prezentować się tak dobrze.

Już, już chciała uprzedzić Tatę o tym, że Ksiądz będzie chciał z nim i z Mamą dzisiaj porozmawiać, ale coś w środku ją powstrzymało. Czuła głęboko w sercu, że zrobiła już tyle, ile mogła. Tu należało się zatrzymać.

Rodzice mieli po drodze zabrać i Oczaka, i Gilera. Zezia bardzo się denerwowała. Siedziała z Kotką Łatką w swoim pokoju. Nie tknęła ani gulaszu, ani placka drożdżowego ze śliwkami, który Mama upiekła poprzedniego wieczoru. W końcu Rodzice wraz z braćmi Zezi wrócili do domu. Było bardzo cicho. Tylko radosne opowieści Franka przerywały co jakiś czas dziwnie złowrogą ciszę. Mama poszła do swojego pokoju, nie mówiąc ani słowa do Zezi, która wyszła jej na powitanie. Tata był czerwony na twarzy i mocno poruszony. Zezia spojrzała na Tatę, ale on

nic się nie odezwał. Dziewczynka skuliła się w sobie i zastanawiała się tylko, co mogło tak zdenerwować Tatę.

Kolejne dni nie dały dziewczynce żadnej odpowiedzi. Rano Rodzice jedli śniadanie w absolutnym milczeniu, potem Mama brała Franka tak jak zwykle ze sobą, a Tata odprowadzał Gilera do szkoły.

Zbliżał się szósty grudnia i Zezia w obecnych okolicznościach nie liczyła na żaden prezent. Podejrzewała, że Mama jest na nią bardzo zła, a Tata znowu wyciągnął komputer, choć nie siedział przy nim już tak długo. Wieczorem przed szóstym grudnia do pokoju Zezi zapukała Mama.

– Mogę wejść?

– Tak – odpowiedziała bardzo zdenerwowana Zezia.

Napięcie i oczekiwanie na jakąkolwiek reakcję Mamy teraz sięgnęło zenitu. Dziewczynka rozpłakała się i mocno przytuliła do Mamy, która też do niej przylgnęła.

– Zeziu, Pani Wychowawczyni narzeka, że jesteś mocno rozkojarzona – Mama mówiła do swojej córki spokojnie i bez żalu. Była w końcu Mamą Zezi, więc musiała jej powiedzieć o tym, co usłyszała od nauczycielki.

– Razem z Tatą rozmawialiśmy też z Księdzem Leonem. On nam powiedział, że martwisz się o mnie i o Tatę.

Zezia czuła, że zaraz zemdleje.

– Są czasami takie chwile, gdy nie wszystko się układa. Potrzebujemy z Tatą trochę czasu. Pamiętaj, że oboje bardzo cię kochamy.

Zezia naprawdę chciała wierzyć, że Rodzice znowu będą tacy jak dawniej. Tata jednak nie przyszedł do swojej córki i nie zapewnił jej o niczym. Widocznie on potrzebował jeszcze więcej czasu.

– Mamo, ja nie chcę prezentu od Świętego Mikołaja – Zezia powiedziała to nadzwyczaj poważnie.

Mama smutno przytaknęła:

– Rozumiem, oczywiście.

Babcia Ciemnowłosa miała wyjątkowo trafne określenie na sytuacje, w których coś złego się wydarzyło i już się nie odstanie. „Mleko się wylało". Tak mówiła Babcia. Zezia poczuła, że mleko właśnie się wylało w rodzinie Zezików.

Dziewczynka rano wstała bez przekonania. Prezenty czekały na parapecie, ale tylko dla Oczaka i Gilera. Mimo wszystko Zezi zrobiło się bardzo przykro.

Wesołych Świąt!

To było bardzo zaskakujące, że tydzień przed Świętami Bożego Narodzenia Mama nie wstała pierwsza przed wszystkimi. Nie poganiała jak zwykle dzieci, by szybciej jadły i szybciej się ubierały, bo ona musi lecieć, pędzić do swojej pracy. Tata wstał pierwszy i to on spokojnie zrobił śniadanie dla wszystkich. Zaskoczonej Zezi powiedział tylko dość stanowczym, ale pogodnym tonem, że Mama ma wolne od pracy. Miała niewykorzystany urlop czy coś takiego. Mama wstała z łóżka dopiero, gdy Zezia stała już ubrana w drzwiach i czekała na Tatę. Wyjątkowo zamierzał poodwozić wszystkie dzieci autem, bo za oknem szalała zupełnie nieoczekiwana śnieżyca. Zezia spojrzała na Mamę. Mama spojrzała na Zezię. W jej spojrzeniu było nadmiernie dużo smutku i zmęczenia. Dziewczynka nie wiedziała zupełnie, jak to będzie ze Świętami w tym roku. Wsiadła bez słowa do samochodu Taty.

Dzisiaj w szkole wypadał uroczysty dzień. Dzieci z klasy Zezi szykowały się do jasełek. Oprócz tego każdy z uczniów miał przygotować drobny prezent pod choinkę dla wylosowanego kolegi lub koleżanki. Podczas losowania w ubiegłym tygodniu Zezia bardzo liczyła, że trafi się jej Basia Pająk lub Piotr Słodzik. Uczucia do Piotra w sercu Zezi były cały czas żywe i dziewczynce nadal serce mocno biło na jego widok. Jednak zdecydowanie więcej ciepłych i poważniejszych uczuć miała w sercu, patrząc na Przemka Kiszkę. Prezentował się ostatnio naprawdę świetnie. Nawet koleżanki z klasy Zezi, które zresztą lubiły Przemka, mówiły niby od niechcenia, że Przemek fajnie wygląda. Jego też Zezia chciała wylosować.

Gdy wyciągnęła z wielkiego szklanego słoika kartkę z napisem „Paulina Bzyk", poczuła się bardzo źle. Jak przygotowywać prezent dla osoby, której się nie lubi? Zezia spojrzała na Paulinę. Dziewczyna była mocno zmieszana, ale uśmiechnęła się blado do Zezi. Zezia poczuła, że może właśnie warto okazać jej chociaż trochę sympatii? To było trudne. Tym bardziej że Zezia cały czas miała w pamięci drwiący uśmiech i wydęte usta Pauliny, gdy Zezia przewróciła się na zawodach. Pamiętała, jak oboje z Piotrem podśmiewali się z niej... W sumie Zezia do końca nie wiedziała, czy było tak na pewno, ale tak to zapamiętała.

Basia Pająk też była niepocieszona, bo wylosowała właśnie Piotra Słodzika. Jak wiadomo, nigdy za nim nie przepadała. Dziewczynki ustaliły, że niezależnie od oficjalnego losowania i tak przygotują dla siebie prezenty. Zezia myślała jeszcze o jednej osobie. O Przemku.

Babcia Jasnowłosa, Mama Taty, która pojawiała się ostatnio w domu Państwa Zezików dość rzadko, nauczyła Zezię kilku podstawowych ściegów na szydełku. Dziewczynka postanowiła, że przygotuje dla wszystkich jakiś drobiazg własnoręcznie przez nią wykonany. Wzięła się więc do roboty.

Dzięki temu oczekiwanie na dzień wręczania prezentów stało się przyjemniejsze, a i czas spędzany w domu był mniej smutny. Rodzice co jakiś czas mówili do siebie. To znaczy raz Mama głośno coś mówiła, potem głośno mówił coś

Tata. Zezia nie chciała tego słuchać. Nuciła wtedy jakąś piosenkę lub zatykała uszy i naprawdę bardzo głośno śpiewała. Kiedyś obudziły ją głosy Rodziców w środku nocy. To było nieprzyjemne. Zuzia obiecała sobie, że po prostu nie będzie tego pamiętać. Giler zrobił się bardziej niespokojny, ale to też nie powstrzymywało Rodziców przed sprzeczkami. Szydełkowanie szło Zuzi bardzo dobrze, bo mogła całkowicie się na tym skupić. Chciała się czasem zupełnie wyłączyć, jak wielki telewizor w pokoju Babci i Dziadka. Dziadek był z niego taki dumny. Po jego śmierci telewizor stał całe dnie wyłączony. Zezia czuła się właśnie jak ten telewizor.

Tymczasem w sali od historii stanęła pięknie udekorowana przez dzieci z klasy choinka, a pod nią mnóstwo różnokolorowych pakunków. Wychowawczyni życzyła wszystkim uczniom wspaniałych, rodzinnych Świąt, a potem zaczęła wyciągać spod choinki kolejne prezenty i wręczać je adresatom. Zezia otrzymała swój prezent. Przygotowała go dla niej

Andżelika Owsianka. Były to naprawdę zabawne skarpetki w renifery. Zezia była niesłychanie mile zaskoczona. Podeszła do Andżeliki i podziękowała jej gorąco. Była przyjaciółka objęła ją naprawdę mocno.

– Pierz tylko w czterdziestu stopniach, no i nie noś na wiosnę, oczywiście – dodała trochę nerwowo.

Paulina Bzyk była zachwycona przepiękną bransoletką, którą zrobiła dla niej właśnie Zezia. Wszystkie dziewczynki zaczęły wzdychać, że też taką chcą. Paulina od razu założyła ją sobie na rękę i była bardzo, bardzo radosna. Choć oficjalnie dzieci dostawały prezenty od Świętego Mikołaja, krzyknęła na całą salę:

– Dziękuuuuuuję Zuziaaaaaa!!!!! – a cała klasa wybuchnęła śmiechem wraz z Panią Wychowawczynią.

Potem dzieci wzajemnie składały sobie życzenia. Serce Zezi chyba na moment przestało bić, bo zauważyła, że odważnie zmierza w jej stronę Piotr Słodzik.

– Chciałem ci podziękować, że mi pomagałaś z polskiego i w ogóle – wybąkał Piotr i obdarzył Zezię jednym z najpiękniejszych swoich uśmiechów. Dziewczynka już, już miała znowu zakochać się w nim nieprzytomnie. Omal nie zapewniła go, że na pewno może ZAWSZE i WSZĘDZIE robić dla niego zadania z każdego przedmiotu, gdy napotkała czujne spojrzenie Przemka Kiszki. Wtedy przypomniała sobie o prezencie dla niego i o tym, że jej serce należy już do innego chłopaka.

Prezent od Zezi Przemek otrzymał po lekcjach, gdy tradycyjnie odprowadzał swoją ulubioną koleżankę pod dom. Tym razem Mama Zezi wychyliła się z okna. Nigdy o tej porze Mamy nie było w domu, więc oboje przestraszyli się, gdy usłyszeli:

– Zuziu, zaproś Przemka na kawałek makowca! – Przemek zrobił się cały czerwony, ale Zezia pociągnęła go za sobą.

Przemek właśnie dostał od Zezi ładne zielone pudełko z tajemniczą zawartością. Schował je do swojego plecaka i już odważniej ruszył do przedpokoju, gdzie czekała na nich Pani Zezik. Po zjedzeniu pysznego makowca i wypiciu ciepłej herbaty Zezia zaprosiła Przemka do swojego pokoju.

Tam chłopiec otworzył swój prezent i znowu zrobił się czerwony. To były własnoręcznie

wykonane przez Zezię ozdoby na choinkę:
bombka cała obszyta szydełkowymi wzorami
i czerwone serce na czerwonym sznureczku.

– Ja też mam coś dla ciebie. – Przemek miał
bardzo poważną minę. – Tylko nie mów nikomu, że to ode mnie – poprosił chłopak.

Zezia otworzyła małe czarne pudełeczko. W środku ukrywał się srebrny pierścionek z czerwonym serduszkiem. Zezia spojrzała na Przemka. Poczuła ogromne szczęście i zawstydzenie.

– Wesołych Świąt! – powiedział nieśmiało Przemek. Dziewczynka uśmiechnęła się do niego najpiękniej, jak potrafiła.

Tuż przed Świętami Mama przygotowywała bardzo dużo różnych potraw. Tata i Zezia byli trochę zdziwieni, bo nie spodziewali się w tym roku żadnych gości. Babcia Ciemnowłosa, obecnie Rudowłosa, poleciała na Święta do Siostry Pani Zezik, zwanej przez wszystkich Ciocią Zagranicą. Babcia Jasnowłosa jak zwykle była gdzieś indziej niż jej Synowa, więc Zezia nie rozumiała, dlaczego Mama szykuje takie ilości jedzenia. Dla kogo?

Tymczasem Pani Zezik od rana do wieczora stała w kuchni.

Pod koniec dnia była zbyt zmęczona, by usiąść do stołu i z kimkolwiek porozmawiać.

Może o to jej chodziło? Tym bardziej że Tata
Zezi stał się ostatnio wyjątkowo chętny do rozmowy. Im bardziej jednak chciał z Mamą rozmawiać, tym bardziej Mama kuliła się w sobie i szła
do kuchni robić kolejną potrawę. Od kilku dni
Tata przynosił nawet do domu świeże bukiety

żółtych róż i stawiał je w wazonie na środku stołu w jadalni. Mama wtedy kurczyła się jeszcze
bardziej. W przeddzień Wigilii jednak Zezia zauważyła, że na widok kolejnego bukietu z żół-
tymi różami Mama delikatnie się uśmiechnęła.
Tata bez brody, w eleganckiej koszuli wyglądał naprawdę świetnie. Mama z kolei stała
się jeszcze bardziej krucha i drobna. Patrząc
na nią, Zezia pomyślała, że Mama potrzebu-
je silnego ramienia, na którym będzie mogła
się oprzeć. Tata ostatnio ćwiczył pompki, więc
Zezia wiedziała, że to silne ramię musi należeć
do niego. Dziewczynka rozumiała doskonale,
o co chodzi. Ramię Przemka Kiszki było najsil-
niejsze w całej szkole. Dzięki temu Zezia czuła
się bardzo, bardzo bezpiecznie.
    W końcu nadszedł dzień Wigilii. Choinka
w tym roku była piękna. Stała dumnie na środku
salonu. Tata razem z Zezią, Gilerem i Oczakiem
nie bez trudu przygotowali własnoręcznie pa-
pierowy łańcuch, którym wspólnie udekorowali
drzewko. Wszystko było pięknie wystrojone:

stół, ściany w pokojach dzieci, nawet na szybach pojawiły się śliczne dekoracje z lampek, które wspaniale prezentowały się szczególnie wieczorem. Zezi brakowało jednak czegoś ważnego. Kiedy pojawiła się pierwsza gwiazdka na niebie, a Mama uroczyście obwieściła, że czas zacząć wigilijną kolację, dziewczynka była bardzo zdenerwowana. Czekała na moment, gdy trzeba będzie podzielić się opłatkiem z bliskimi. Pomyślała, że przecież cuda się zdarzają, że pragnie tylko tego, żeby Rodzice byli razem... Czy to jest tak dużo?

Zezia podeszła z opłatkiem do Taty. Była już tak przejęta, że łzy popłynęły z jej oczu i nic nie udało się jej powiedzieć. Tata przytulił swoją córkę bez słowa. Potem podszedł do Gilera, który od razu porwał mu cały opłatek i włożył go sobie szybko do ust. Oczak został wycałowany przez oboje Rodziców. W końcu Tata podszedł do Mamy.

– Nie mam już czym się z Tobą podzielić – powiedział bezradnym głosem Tata, wyciąga-

jąc do niej pustą dłoń. Mama stała bez słowa
i patrzyła na swojego męża. Zezia czuła, że straci zaraz oddech. W końcu Mama wyciągnęła

rękę do Taty. Pan Zezik ucałował dłoń żony. Oboje spojrzeli na siebie, a Zezia wiedziała, że zrozumieli się bez słów.

Dziewczynka pomyślała, że wydarzył się właśnie prawdziwy cud. Było dla niej jasne, że taki cud mógł się wydarzyć tylko w Święta Bożego Narodzenia.